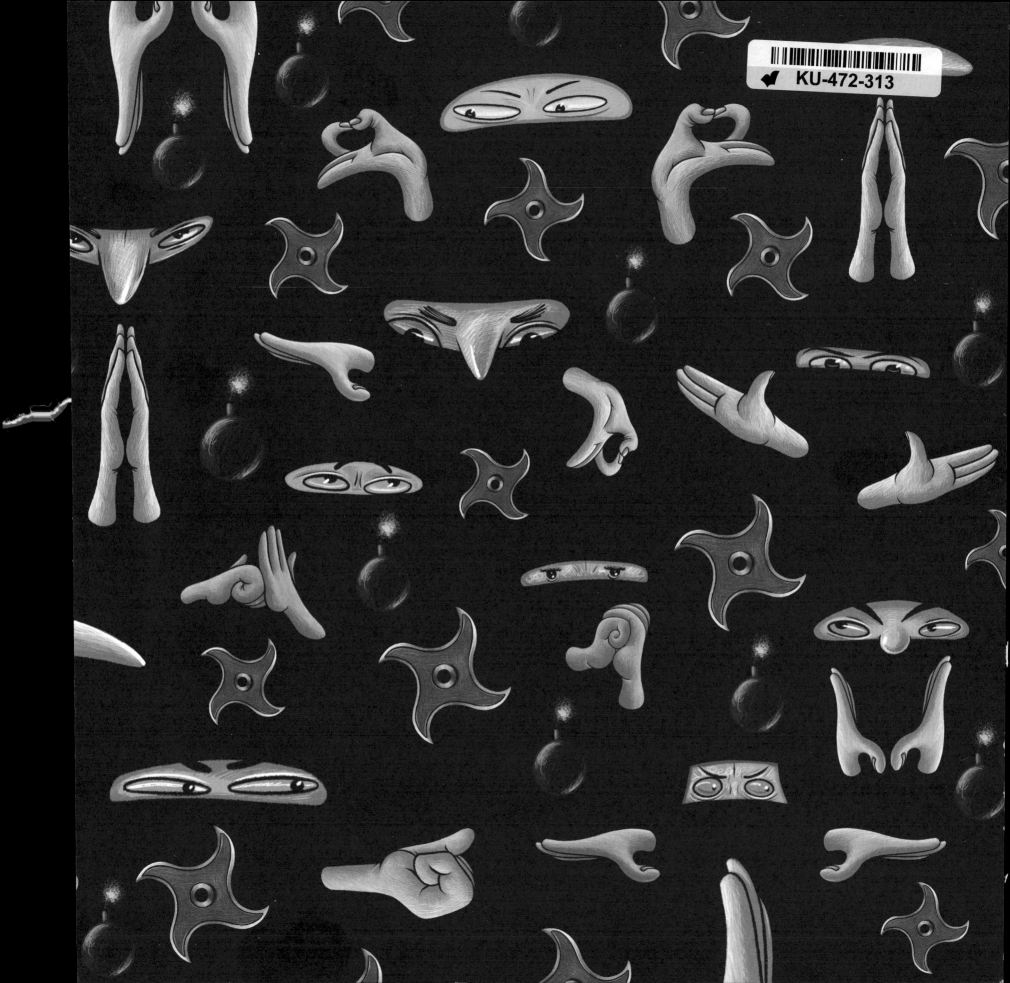

KU-472-313

Do Lorcán, mo ninja is óige
MZ
Do Leo
AW

Tá an tSnáthaid Mhór buíoch d'Fhoras na Gaeilge (Clár na Leabhar Gaeilge) as
tacaíocht airgeadais a chur ar fáil.

Gach ceart ar cosaint. Ní ceadmhach aon chuid den fhoilseachán seo a atáirgeadh,
a chur i gcomhad athfhála ná a tharchur ar aon bhealach ná slí, bíodh sin
leictreonach, meicniúil, bunaithe ar fhótachóipeáil, ar thaifeadadh nó eile, gan cead
a fháil roimh ré ón fhoilsitheoir.

ISBN: 978-1-912929-04-7

An Chéad Chló © 2019 An tSnáthaid Mhór
An téacs © 2019 Máire Zepf
Maisiú © 2019 Andrew Whitson
Dearadh © 2019 Andrew Whitson

An tSnáthaid Mhór
Cultúrlann McAdam Ó Fiaich
216 Bóthar na bhFál
An Cheathrú Ghaeltachta
Béal Feirste
BT12 6AH

www.antsnathaidmhor.com

An tSnáthaid Mhór

Foras na Gaeilge

Rita
agus an Ninja

BAINTE DEN STOC

WITHDRAWN FROM DLR LIBRARIES STOCK

Máire Zepf
A n D O

BAINTE DEN STOC

WITHDRAWN FROM DLR LIBRARIES STOCK

Seo í Rita.

Tá Rita ag imirt folach bíog.

Ba mhaith le Rita ninja.

Bíonn ninja ciúin, gasta,

dofheicthe.

Mhúinfeadh ninja-mháistir do Rita
an bealach le dul as radharc.

Ansin thiocfadh léi
dul i bhfolach

agus arís eile.

Ní bheadh teacht ar Rita
ach amháin gur mhaith léi é.

Thabharfadh ninja-mháistir traenáil di.

D'fhoghlaimeodh sí smacht ar chorp agus ar intinn.

Dhéanfadh sí **HAIGH-IÁÁ!**

Agus **Cííí-AIGH!**

Bheadh cumhacht
as cuimse ag Rita.

Ach déanann ninjaí níos mó ná traenáil agus dul i bhfolach.

Tarraingíonn ninjaí trioblóid.

Bíonn ninjaí
sleamhain slíoctha.

Agus tugtha don ghadaíocht.

Agus áit a mbíonn ninjaí,
bíonn clanna móra ninjaí.

Níos measa fós, níl tada
is fearr leo ná an troid.

Is fuath le Rita
an troid.

Cén deireadh a bheadh leis?

Níl ninja-mháistir de dhíth ar Rita níos mó.

Rita féin a bheas ina máistir.
Agus tá dalta den scoth aici.

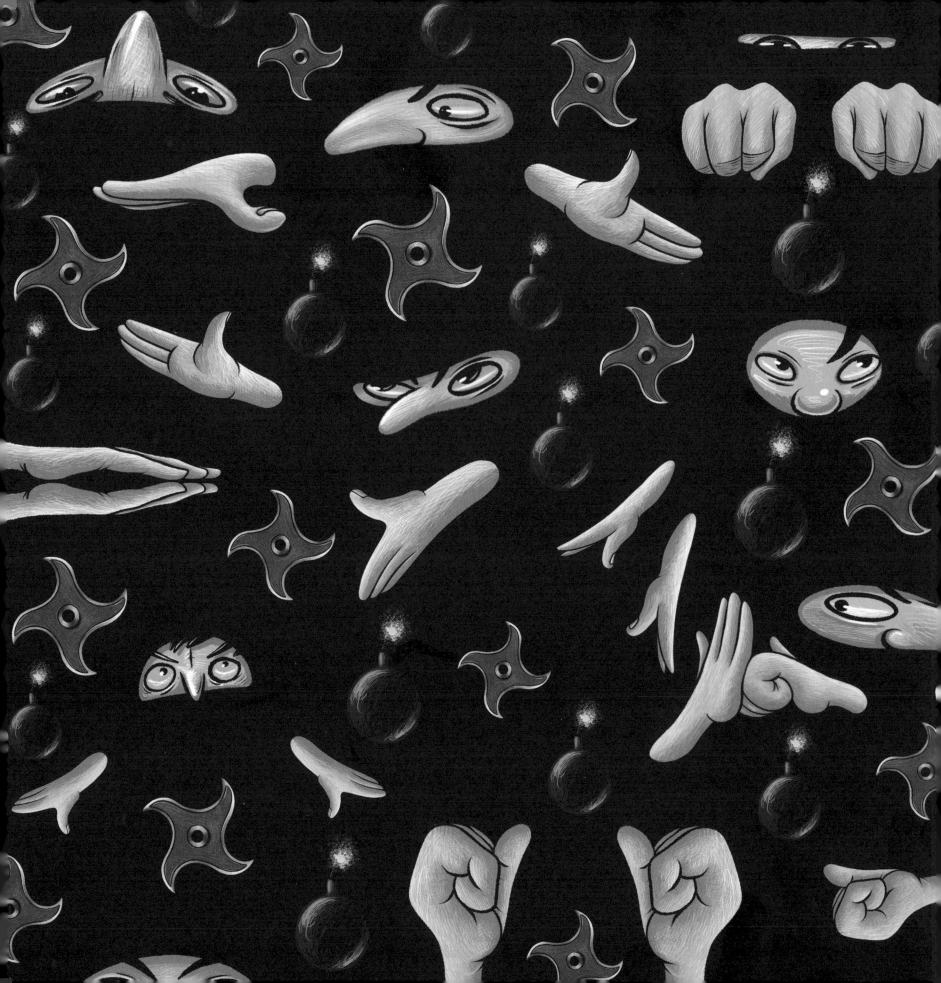